La casa donde vivo

Isadore Seltzer

La casa donde vivo

aquí en América

SCHOLASTIC INC.
New York Toronto London Auckland Sydney

El autor agradece la colaboración de los doce niños de la escuela Hillside en Montclair, Nueva Jersey, que posaron para él con tanto entusiasmo que dieron vida a estas casas: Lakeya Johnson, Geoffrey Cox, Davieon Terrell, Aahren DePalma, Daniel Hogan, Polly Zalkind, Jed Gallagher, Angelique Cinelu, Ivan Otaegui, Marisa DiLella, Jessica Gerstein, y Tygire Cook.

Copyright © 1992 by Isadore Seltzer.
Spanish translation copyright © 1993 by Scholastic Inc.
All rights reserved. Published by Scholastic Inc., 555 Broadway, New York, NY 10012, by arrangement with Macmillian Publishing Company.
The illustrations in this book are collages of acrylic on canvas with hand-tinted black-and-white photographs.
Printed in the U.S.A.
ISBN 0-590-47425-1

1 2 3 4 5 6 7 8 9 10   08   00 99 98 97 96 95 94

Para Joyce, Daniel, Eva y Marilyn

Hace quinientos años, cuando los exploradores y colonizadores europeos llegaron a este país, quedaron asombrados de sus grandes espacios. Sabían que diferentes tribus de americanos nativos—"indios", como les llamó Colón— estaban dispersas desde el Atlántico hasta el Pacífico. Pero, como estaban convencidos de que había lugar para mucha más gente, los pioneros vinieron y se instalaron. Algunos se mudaban con frecuencia y construían sus casas de acuerdo a las características del lugar.

Estos colonizadores tenían en cuenta si el nuevo lugar era caluroso, lluvioso, o si sus inviernos eran muy fríos, y construían sus casas en función del clima y para que duraran mucho tiempo. Las hacían de piedra cuando necesitaban despejar de piedras los campos agrícolas, o de madera si había muchos árboles en el lugar donde iban a vivir.

A veces los colonizadores traían consigo sus viejas ideas, pero por lo general estaban dispuestos a ser audaces y creativos en esta nueva tierra. La vida aquí era excitante—el país estaba en desarrollo, habían nuevas herramientas y posibilidades para construir la casa de sus sueños.

Este espíritu aventurero se manifiesta hoy cuando vemos cómo la gente de ahora sabe vivir confortablemente en estas casas antiguas o cuando construye en nuevos territorios, como en desiertos, montañas o playas. Los nuevos colonizadores han aprendido de los primeros exploradores a construir casas que les sirvan para sus necesidades y también para disfrutarlas.

Esta casa de adobe tiene setecientos años y aún vive gente en ella. Hace muchos años, los indios americanos construyeron esta pequeña aldea en un altiplano al norte de Nuevo México. Los indios eran agricultores. Con la tierra del antiplano hicieron sus casas y crearon lo que ellos llamaron *pueblos*. De aquí viene el nombre de los indios pueblo.

Para convertir la tierra en adobe, los indios la amasaban con paja y agua y hacían ladrillos planos y gruesos. Apilaban los ladrillos para construir cuartos para cada familia. Luego apilaban los cuartos para mantener la tribu unida. Finalmente, cubrían las paredes con una capa de barro fina para protegerlas del viento. En el altiplano las noches son frescas y nieva en el invierno. Los pueblos están orientados hacia el sol. Las paredes de adobe absorben el calor del sol durante el día y lo liberan en la noche para mantener calientes los cuartos.

Los indios pueblo cargaban a pie, desde los bosques situados a muchas millas de distancia, los troncos para las pesadas vigas de los techos. (Nunca habían visto caballos ni carretas hasta la llegada de los exploradores españoles, doscientos años después de la construcción de este pueblo.) Los pueblo colocaban estas enormes vigas a través de los gruesos muros de adobe y luego las cubrían con capas de ramas y barro. Luego, aplanaban los techos que servían como terrazas a las casas que estaban encima. Los niños jugaban en estas terrazas, mientras las mujeres molían el maíz con piedras para hacer el pan. Si llegaban intrusos, los indios retiraban las escaleras exteriores y de esa manera protegían a su pueblo.

Todavía viven familias de indios pueblo en estas antiguas viviendas. Muchos cultivan la tierra y crían ovejas. Aunque tienen televisión, camionetas y frigoríficos, todavía conservan sus viejas costumbres. Algunos indios pueblo tejen canastas o hacen joyas de plata. Otros siguen reuniéndose para bailar y contar historias de su tribu que ha vivido siempre en este pueblo de casas de adobe.

Para construir una casa de piedra se necesita mucho tiempo, pero puede durar para siempre.

Hace trescientos años, los agricultores, albañiles, carpinteros y artesanos alemanes que huían de la persecución religiosa en Europa vinieron al Oeste en caravanas. Siguiendo los senderos hechos por los indios, se instalaron en Pennsylvania. Allí se les permitía expresar libremente sus creencias. Con gran entusiasmo se asentaron y ayudaron mutuamente en la construcción de casas sólidas.

En aquella época no había fábricas ni tiendas que pudieran proporcionarles los materiales que necesitaban para la construcción. Dependían de los recursos naturales más abundantes de la zona—las piedras de los campos. De todos modos, estas piedras debían retirarse para que los cultivadores pudieran labrar y sembrar sus cosechas.

Algunos de ellos ya sabían cómo construir con piedra. Pero no era fácil. Las piedras son de diferentes formas y tamaños y se tienen que ajustar con mucho cuidado. Con los árboles de castaño, roble y pino de las cercanías, hacían tejas de madera para los techos, vigas, marcos para las ventanas y tablas para el piso. Los clavos de hierro y las bisagras de las puertas estaban hechos a mano por el mismo herrero que hacía las herraduras. En aquel entonces, las ventanas se hacían a mano con pequeños cuadritos de vidrio.

No se necesitaban candados ni llaves; por la noche siempre había alguien en casa. Sólo tenían que empujar una pesada tabla de roble que atravesaba la puerta y que se introducía por un pasador.

Muchos años después, quienquiera que vivió en esta casa necesitaba más espacio. Por entonces, era más fácil comprar madera que recoger más piedras. Se añadió una cocina familiar con su propia puerta de estilo holandés. La parte de arriba de la puerta podía abrirse mientras que la de abajo se mantenía cerrada para que no entraran los animales de la granja.

Al cabo de muchos años, una casa vieja necesita reparaciones. La mezcla de caliza entre las piedras se resquebraja. Los tejados se gastan. Los pisos se malogran. Pero estas paredes de piedra, hechas hace tantos años, resistirán para dar cobijo a otras familias que vengan.

El capitán de un barco construyó esta casa para que su esposa pudiera ver el río desde la ventana de arriba. De esa manera, ella podía ver si el barco estaba en el muelle y si llegaría a tiempo para cenar.

En los años 1850 los ríos eran las autopistas de nuestro país en desarrollo. La vida de ciudad pequeña a lo largo del río Hudson cambiaba rápidamente. Todos los días, grandes barcos a vapor nuevos llegaban desde la ciudad de Nueva York. Dejaban en tierra a los impacientes nuevos pobladores, mientras cargaban y descargaban barriles, sacos de ropa y productos agrícolas en los puertos de las ciudades.

Los comerciantes, fletadores, banqueros y la gente del pueblo estaban ansiosos por construir o comprar nuevas casas para alardear de su nueva riqueza. Estas personas tenían ideas firmes. Les gustaba la ropa lujosa, la música alegre y las comidas exquisitas. Querían que sus nuevas casas reflejaran el sentimiento de orgullo que tenían de sí mismos.

Ésta era perfecta: una casa atrevida, moderna, audaz y brillantemente pintada. El techo puntiagudo y las pesadas chimeneas les recordaban los castillos de piedra de los ricos de Europa y las antiguas iglesias que habían visto en los grabados.

Pero aquí en América, este tipo de casa estaba hecha de madera, muy abundante en el área, en lugar de piedra. Muy pronto inventaron las poderosas sierras caladoras que convertían con facilidad las tablas planas de pino en formas talladas, parecidas a las parras de un jardín.

La familia se sintió importante cuando se mudó a esta casa; no había nadie que tuviera una casa similar.

Hoy en día, conservamos como un tesoro estas divertidas casas. Son un poco extrañas, pero la gente que primero las habitó no lo pensaba así. Una casa como ésta era precisamente lo que querían.

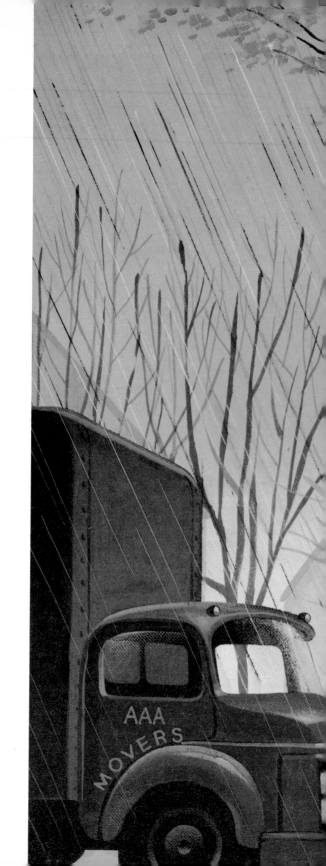

Antes de que en 1848 se descubriera oro en un riachuelo cercano, San Francisco era tan sólo un pueblecito adormecido. Pero después de este descubrimiento el pueblo ya no pudo dormir más. Atraídos por la fiebre del oro, miles de personas vinieron en busca de fortuna y de un lugar para vivir.

En 1880, cuando se construyó esta casa, ya había terminado la fiebre del oro, pero la gente seguía llegando al Oeste para instalarse en San Francisco. Allí encontraron mucho sol, viento y agua, pero ya no quedaba más espacio para edificar. Así pues, en vez de expandirse horizontalmente, construyeron casas de tres pisos de altura, apiñadas en lo alto de la colina.

Los constructores descubrieron que los bosques cercanos estaban llenos de altos árboles de secoya. La madera de secoya es mucho más resistente que otras, por eso esta casa parece más nueva de lo que realmente es. Esta madera no sólo es muy fuerte, sino que también es fácil de serrar y tallar en formas elegantes. Este estilo encantó a los emprendedores recién llegados que sentían que la laboriosa decoración de sus casas debía reflejar la atareada vida de la calle que les rodeaba.

La gente de esta ciudad no se cansa nunca de contemplar la bahía que brilla desde el pie de las colinas. Por eso cada casa tiene al menos una ventana que da a la bahía y, a veces, más de una.

Los balcones de vidrieras, que sobresalen de la estructura de la casa, crean más espacio habitable en el interior y permiten mirar, a través de los tejados de los vecinos, las islas, los puentes y los barcos que van pasando.

A la gente que vive ahora en estas antiguas y elegantes casas victorianas, le gusta decorarlas con diferentes matices de rosa, violeta, amarillo y verde, y otras combinaciones de colores vivos. Por eso a estas casas se les llama "mujeres pintadas".

Mucha gente cree que la cabaña de troncos es una invención norteamericana, pero no lo es. En el siglo XVII, los pobladores escandinavos construyeron en este país cabañas de troncos parecidas a sus viejas casas en Europa.

Una casa sencilla hecha de troncos de árboles era algo lógico en Norteamérica, ya que se necesitaba despejar los bosques para crear áreas de cultivo. Los pobladores de todas las regiones de este país cortaban árboles para desocupar el terreno y así conseguían los troncos suficientes para construir una casa.

A principios de 1800, hombres aventureros se lanzaron a las tierras desconocidas al oeste del Mississippi. Intentaban hacer fortuna cazando y atrapando animales salvajes, para luego vender sus pieles. Los cazadores y los traperos tenían que soportar los duros inviernos, la soledad y los encuentros poco amistosos con los indios. Así pues, sacaron sus hachas y construyeron cabañas de troncos.

Esta casa en Montana se construyó de la misma manera que las antiguas cabañas de troncos. El constructor cortaba maderos de pinos o abetos del mismo tamaño. Luego, sacaba la corteza de cada tronco y aplanaba la parte de arriba y de abajo para que se adaptasen mejor cuando los apilaba. Después tallaba una muesca en cada extremo para ajustar las esquinas. Durante seis meses, almacenaba los troncos a la sombra y lejos del suelo para que se secaran. El secado lento evitaba que se deformaran al construir la casa.

Cuando estaban secos, con la ayuda de poleas de cuerda, fuertes brazos ensamblaban los troncos en paredes, dejando espacio para la puerta y las ventanas. Los espacios entre los troncos se llenaban de yeso y barro para que no entrara el viento ni la lluvia. Para construir el tejado, se tendían tejas de madera superpuestas sobre las vigas. Finalmente se colocaba la puerta y las ventanas y la casa estaba terminada.

¿No es maravilloso que los árboles se transformen en casas justo en el mismo lugar donde crecieron? De esta manera, continúan viviendo allí y son útiles para siempre.

A principios de siglo, las familias que vivían en Chicago estaban desesperadas por encontrar casas limpias y tranquilas, con interiores y exteriores espaciosos.

Esta gran ciudad se había vuelto ruidosa y peligrosa. Las carretas arrastradas por caballos y los automóviles estrepitosos bajaban por las calles llenas de gente. Algunas familias creían que la ciudad no era el lugar apropiado para criar a los niños, por eso se mudaron a los suburbios.

Las familias eran más numerosas de lo que lo son hoy en día; diez hijos no era considerado inusual. Cada familia necesitaba una casa con habitaciones para todos los niños y, a veces, una para los abuelos.

En una nueva y tranquila calle no muy lejos de la oficina del padre en la ciudad, una familia construyó esta cómoda y sólida casa de ladrillo. Aquí no había peligro. La madre no tenía que asomarse por la ventana de la cocina para vigilar a los niños cuando jugaban con sus perritos en el gran patio. Podían correr libremente mientras no pisaran el huerto o tumbaran la ropa tendida al sol.

El ancho tejado protegía las ventanas del sol como si fuera el ala de un sombrero, refrescando la casa en los días veraniegos. No existía el aire acondicionado o la televisión. Por las tardes, toda la familia se reunía en el porche de la casa para conversar y reírse con los vecinos hasta la hora de acostarse.

Hoy, después de noventa años, la casa se ve igual, pero se usa de manera diferente. La comparten pequeñas familias. Cada familia vive en su propia parte de la casa. Hay muchos niños, juegos y televisión. Las bicicletas y los patines están tirados en el porche de entrada. Por fin los árboles han crecido altos y frondosos, protegiendo la casa del ruido de la cercana y flamante autopista.

Esta casa de ladrillo y arcilla parecida a la de los cuentos de hadas se encuentra justo donde estaba el riachuelo de Tibbett. El riachuelo fue rellenado hace muchos años. Ahora, en su lugar, está la avenida Tibbett en el Bronx—un distrito de la ciudad de Nueva York. El terreno vacío de al lado es lo que queda de una gran finca que desapareció hace años.

En 1905, el único edificio que se veía aquí era el de una inmensa y blanca casa de granja en lo alto de la colina que daba a un riachuelo serpenteante. Sólo se escuchaba el sonido del croar de las ranas y el tintineo de las campanitas de las vacas.

Pero, para los agricultores, este tipo de vida estaba llegando a su fin. Muy pronto, los obreros instalarían las vías de hierro por donde pasarían los ruidosos subterráneos de la ciudad en dirección hacia el tranquilo Bronx. La ciudad se extendía para dar espacio a los nuevos inmigrantes.

Hacia 1929, casi todas las granjas en el Bronx habían desaparecido. Las calles nuevas y lisas de la ciudad, con sus nombres en los carteles, cruzaban olvidados senderos de vacas. La gente que huía de la locura de la ciudad iba al Bronx. Los recién llegados a Nueva York—alemanes, irlandeses, judíos y otros—que buscaban un lugar para establecerse, lo encontraban en el Bronx. Casas como ésta les esperaban después de un día de trabajo duro en la ciudad y del largo viaje en el subterráneo de vuelta a casa.

Estos trabajadores no podían darse el lujo de tener casas de ladrillo o piedra verdaderos, pero estaban satisfechos con que sus viviendas se parecieran a las antiguas casas de Europa. Para complacer a estos compradores, se construyeron hileras de pequeñas casas con diseños de ladrillo, piedra y madera en sus fachadas, similares a los de los antiguos modelos europeos.

Hoy, la mayor parte del Bronx es bulliciosa y es el hogar de diferentes grupos de gente muy activa. Pero los vecinos de la avenida Tibbett viven tranquilamente, preservando lo poco que queda de una granja de épocas pasadas.

¡**H**ollywood! Esta casa se parece a la casa de un actor de cine, sólo que es más pequeña.

En 1930 esta casa de estilo español era muy popular entre la gente rica y no tan rica de Hollywood, California. ¡Hollywood... fantasía... cine!

En aquellos días, costaba sólo quince centavos ir al cine. En la pantalla grande, los americanos veían estrellas de cine disfrutando la buena vida en el clima cálido de California. El cine hizo que mucha gente se mudara al Oeste.

Allá en los estados invernales del Este, familias enteras hicieron sus maletas y se dirigieron en trenes o automóviles hacia el Oeste para empezar una nueva vida bajo el sol californiano.

Para abastecer esta ola de recién llegados, se necesitaban nuevas casas de construcción barata. En el sur de California los días nunca llegaban a ser fríos. Rara vez llovía. Con este clima, no se necesitaba el ladrillo o la piedra. La madera era escasa y cara. Por eso, los constructores de California usaron un antiguo material llamado estuco—una mezcla de arena, agua, cal y cemento. Los obreros podían esparcir fácilmente la pegajosa mezcla, emparejando una estructura de tejido de alambre y madera en forma de casa. Cuando se secaba, era más duro que una roca y no se resquebrajaba con el calor del sol.

Los constructores de las casas copiaron los arcos, los techos curvilíneos y las tejas de barro rojizo de las iglesias españolas que existían en California desde hacía doscientos años conocidas como misiones. Diseñaron las casas de este estilo para crear la impresión de que, al igual que las misiones, estas casas estaban allí desde hacía mucho tiempo.

Hoy en día, el deseo de mudarse a California desde otras partes de los Estados Unidos todavía es muy fuerte. Estas casas de estuco al antiguo estilo español estaban allí desde hacía tiempo cuando la gente llegó buscando un lugar para vivir. Ya no es una fantasía.

Ésta es una casa flotante. Se arrima a la orilla, pero nunca toca tierra. Está atracada al muelle, pero se puede mover libremente.

Hace muchos años, en el norte de California, la mitad inferior de la embarcación se usaba como un barco pesquero. Hecha con resistentes y pesadas placas de madera, puede soportar los golpes de las altas olas del mar. En la actualidad, barcos pesqueros grandes y modernos atracan en estas aguas. Por eso, durante años, esta pequeña embarcación permaneció oculta bajo una lona en un astillero.

Recientemente, una joven pareja transformó este viejo barco pesquero en un hogar insólito, al construir una casita encima del oscuro casco. Debajo de la cubierta crearon unas portillas redondas para que entrara la brisa en los dos camarotes. En cada camarote hay espacio solamente para una litera sobre cajones de madera. En la cubierta lograron meter una pequeña galera (cocina) con una mesa y sillas de madera empotradas. En la parte trasera hay un pequeño baño. En un barco pequeño se tiene que aprovechar hasta el último centímetro cuadrado.

Cuando las personas que viven aquí quieren irse a otro lugar, simplemente piden que un remolcador los jale lentamente. El agua es su autopista. Se pueden ir a otra ciudad o atracar en el puerto de río de un pequeño pueblo, o también pueden dirigirse hacia un lago en medio de la naturaleza.

Para cenar, solamente tienen que lanzar un hilo de pescar desde la cubierta. Si los peces no pican, siempre habrá una lata de atún a bordo.

Durante la noche, pequeñas olas golpean el casco, meciendo a la casa flotante y a la familia mientras se adormecen.

Esta casa llegó rodando sobre sus ocho ruedas. Por eso se llama casa rodante.

La Segunda Guerra Mundial terminó en 1945. Fue una guerra larga y dura para todos. Los hombres y las mujeres en uniforme volvían a sus familias y a la vida civil, y compraban autos nuevos. Ahora era el momento para unas vacaciones con la familia.

Las fábricas que habían construido los tanques y los bombarderos para la guerra empezaron a construir pequeñas y ligeras casas rodantes que podían ser remolcadas por los autos. Pronto se volvieron muy populares. Veraneantes con casas rodantes viajaban por todo el país, parando en los parques nacionales o en las costas, acampando todas las noches en sus pequeñas "casas".

Entonces los norteamericanos compraron autos todavía más potentes para remolcar sus casas con rapidez. Pero las casas rodantes eran cada vez más largas, anchas y pesadas. Pronto, los carros no podían moverlas. Ya no era posible remolcarlas. Para entonces, una nueva generación de americanos había crecido y formado familias y quería comprar su propia casa. Pero, como durante la guerra no se había construido, no habían casas suficientes para aquellos que las necesitaban. Además, edificar una casa era muy costoso para las jóvenes parejas. En su lugar, compraron enormes casas rodantes, ya no como remolques sino para vivir en ellas.

Potentes camiones las remolcaban a unos lugares especiales llamados "parques de remolques" que existen en todos los estados. Los propietarios de las casas rodantes pagan un alquiler para estar allí y resuelven de esta manera el problema de encontrar una casa para vivir.

Luego instalaron cables de electricidad, líneas de teléfono y tuberías de gas. Cubrieron las ruedas con madera contrachapada para que el remolque pareciera una casa. Los patios de cemento sirvieron de base para las parrillas de barbacoa, y con unos escalones se llegaba a la puerta. La familia se estableció en lo que se había convertido en un verdadero hogar.

El vecino más cercano a esta casa es el mar.

Recientemente, un diseñador de casas, es decir un arquitecto, construyó esta casa de playa para una familia de la ciudad. Se diseñó especialmente para este lugar—no para las montañas, ni para los suburbios, ni para la ciudad, sino para las costas del Atlántico. Situada sobre unas robustas columnas de concreto, esta casa de diferentes niveles no se mojará aunque las olas lleguen hasta las dunas de arena que hay debajo de ella.

Esta casa no es grande; las habitaciones son bastante pequeñas. No importa mucho, porque la gente que vive aquí pasa casi todo el día afuera—jugando en la piscina más grande del mundo que tienen enfrente... o pescando por horas en un pequeño bote que se mece, anclado a poca distancia de la costa... o construyendo castillos de arena que desaparecen con las mareas diarias.

Las grandes ventanas bajo los techos inclinados dejan que entre el sol en la habitación y que veas el cielo. Intenta contar las estrellas de la Vía Láctea por estas ventanas cuando es de noche, y te quedarás dormido antes de alcanzar contar los dos millones.

Por fuera, esta casa es lisa como un faro. El cedro de la superficie y los muros se envejecen con el sol. Pero nunca hay que volver a pintar la casa. Los dueños vienen para descansar, para jugar y para escuchar los ruidos del mar y de las aves marinas que chillan mientras arremeten y se zambullen en el agua, buscando su presa con sus ojos agudos.

Las escaleras serpentean y te llevan hacia arriba como atraído por un imán. Tomas aliento de vez en cuando en los descansos de las escaleras. Luego, desde lo alto, el horizonte parece más cercano. Casi puedes ver el otro lado del océano.

La cena está esperando abajo. Te están llamando. No quieres dejar ese lugar, pero sabes que mañana podrás subir otra vez.

¡Los locos años veinte! Así se llamaron los años alrededor de 1925, cuando terminaron de construir este rascacielos. Los norteamericanos se volvían locos por el jazz, el arte lleno de color, la ropa llamativa y los edificios de apartamentos que subían hasta el cielo.

Un edificio de apartamentos es como una pila de pequeñas casas amontonadas una encima de la otra. Antes de la invención de los ascensores hace cien años, la mayoría de los edificios tenían sólo seis pisos. Ahora son de veinte, cuarenta, sesenta y hasta cien pisos que se elevan en el cielo.

Los inquilinos de este edificio en la ciudad de Nueva York toman un ascensor para llegar a sus apartamentos. Dan vuelta a la llave de su puerta y ya están en sus casas.

La última parada en el ascensor es el tejado. También vive alguien en el *penthouse* o apartamento de azotea. Antiguamente la palabra *penthouse* indicaba una habitación suplementaria de una casa o en un granero.

Ahora se le da ese nombre a los apartamentos construidos en el último piso y rodeados por un jardín privado llamado terraza. Es un lugar ideal para cultivar flores bajo un sol brillante, pero se tiene que subir la tierra y las plantas para hacer un jardín.

Como si fueran palomas de gran altura, los inquilinos se acostumbran pronto a ella y a ver lo que ocurre abajo con "vista de pájaro". Desde la terraza se ven camiones saliendo apresuradamente, pequeños taxis amarillos, largas limosinas negras y las cabezas de los transeúntes. Cuando oscurece, los edificios resplandecen con sus ventanas iluminadas y las calles brillan con la luz de los faros que se mueven lentamente.

Podrás oír los sonidos casi imperceptibles de las bocinas, los frenos, los trenes subterráneos y las sirenas. Pero eso pertenece a otro mundo, lejos de este lugar tan confortable camino a la luna.